அ Page 2	ஆ Page 3	இ Page 4	ஈ Page 5	[illegible]	[illegible] Page 7
எ Page 8	ஏ Page 9	ஐ Page 10	ஒ Page 11	ஓ Page 12	ஔ Page 13
		ஃ Page 14			
க் Page 15	ங் Page 16	ச் Page 17	ஞ் Page 18	ட் Page 19	ண் Page 20
த் Page 21	ந் Page 22	ப் Page 23	ம் Page 24	ய் Page 25	ர் Page 26
ல் Page 27	வ் Page 28	ழ் Page 29	ள் Page 30	ற் Page 31	ன் Page 32
ஜ் Page 33	ஶ் Page 34	ஷ் Page 35	ஸ் Page 36	ஹ் Page 37	க்ஷ் Page 38

அ
(A)

அணில் / Aṇil / Squirrel

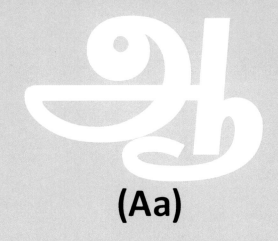

ஆ

(Aa)

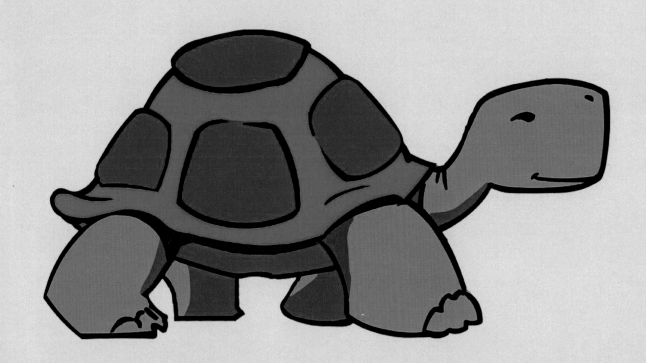

ஆமை / Aamai / Turtle

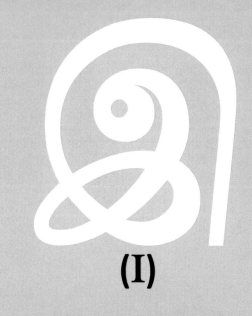

இ

(I)

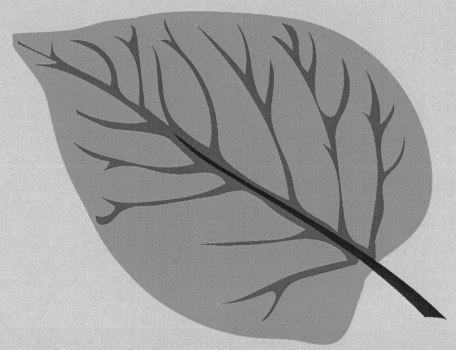

இலை / Ilai / Leaf

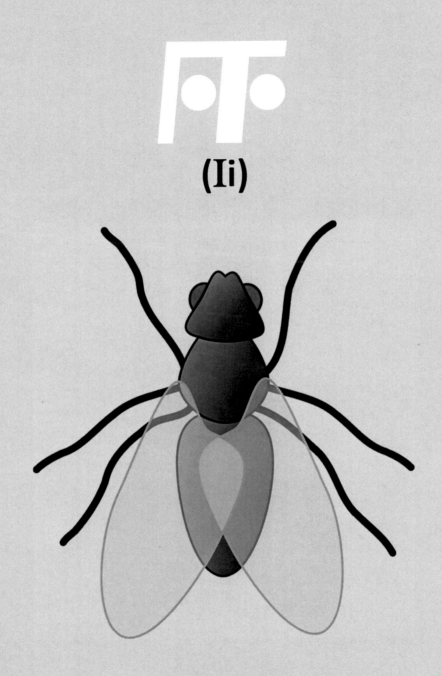

(Ii)

/ Ii / Fly

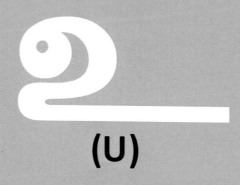

உ

(U)

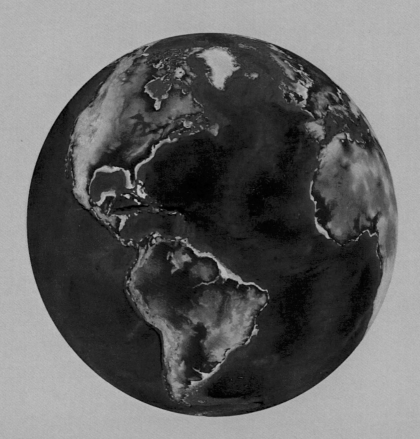

உலகம் / Ulakam / World

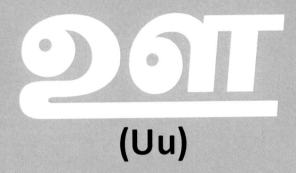

ஊ

(Uu)

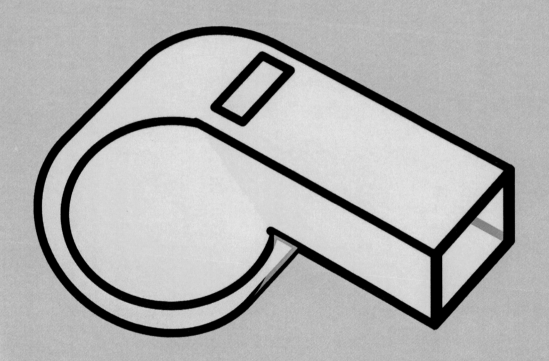

ஊதல் / Uutal / Whistle

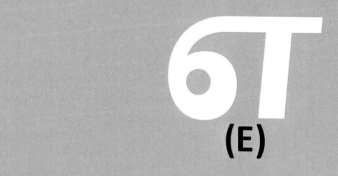

எ
(E)

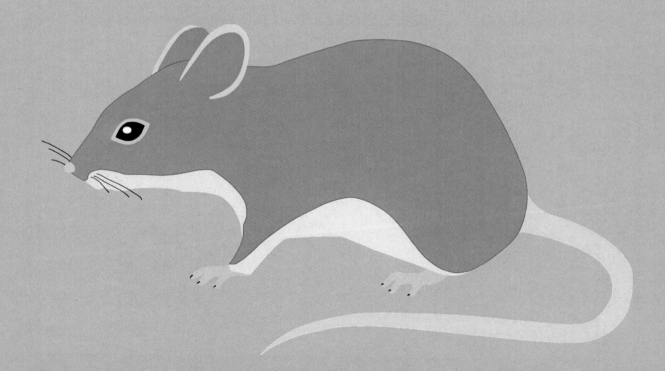

எலி / Eli / Rat

ஏ
(Ee)

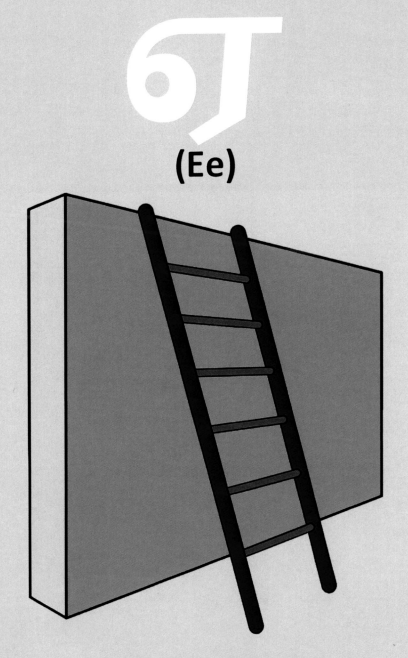

ஏணி / Eeni / Ladder

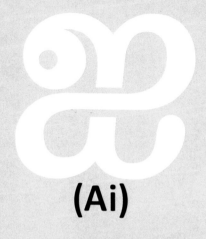

ஐ

(Ai)

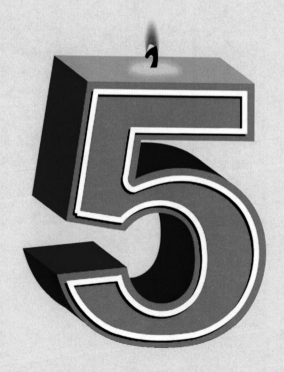

ஐந்து / Aintu / Five

ஒ

(O)

ஒட்டகம் / Ottakam / Camel

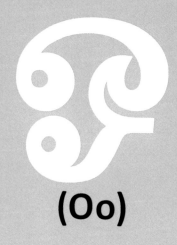

ஓ

(Oo)

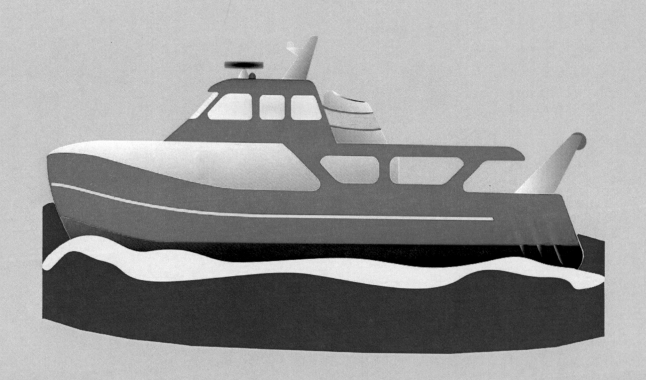

ஓடம் / Ootam / Boat

ஔ

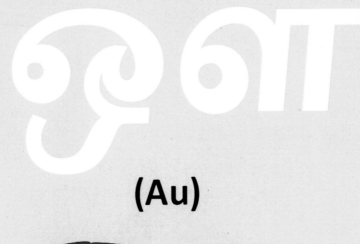

(Au)

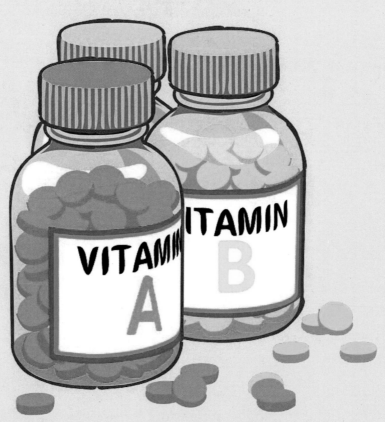

ஔடதம் / Autatam / Medicine

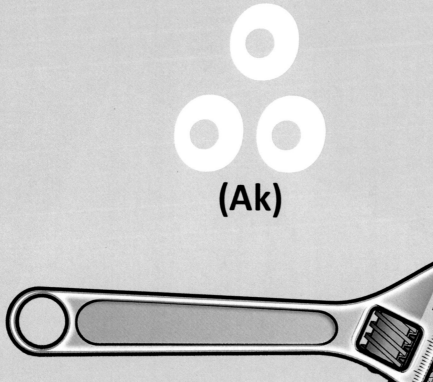

ஃ

(Ak)

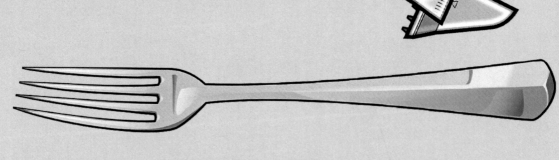

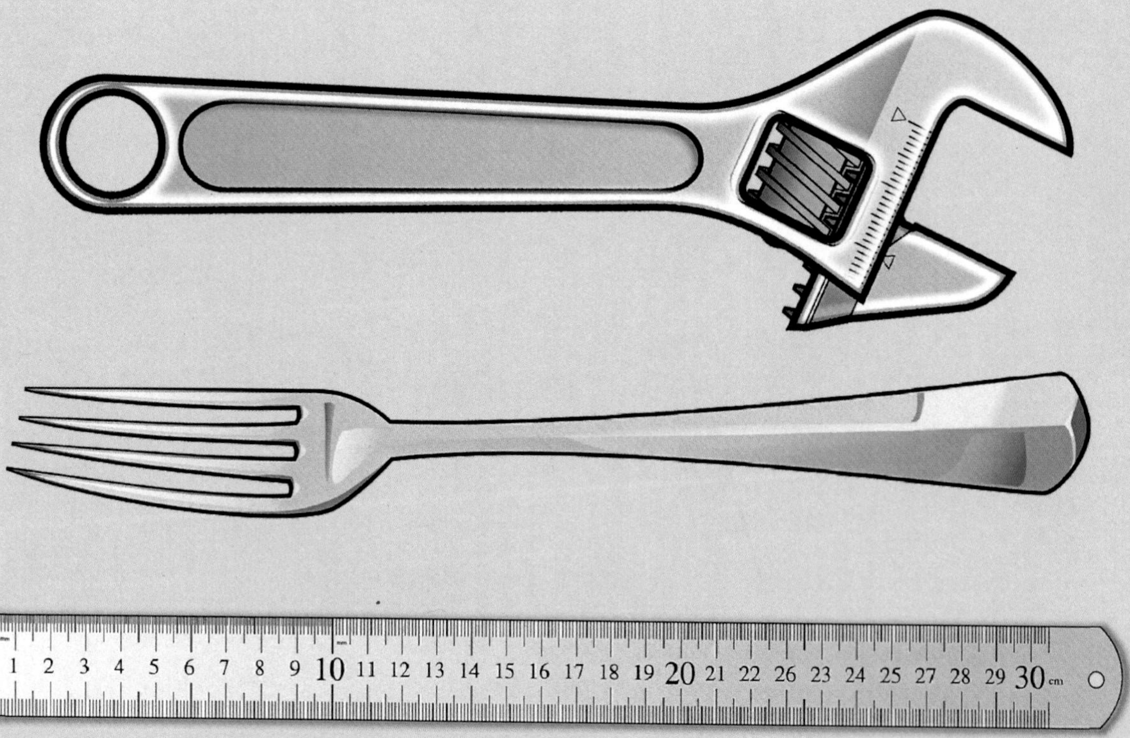

எஃகு / Eḥku / Steel

க்

(K)

கரடி / Karati / Bear

க்+அ	க்+ஆ	க்+இ	க்+ஈ	க்+உ	க்+ஊ	க்+எ	க்+ஏ	க்+ஐ	க்+ஒ	க்+ஓ	க்+ஔ
க	**கா**	**கி**	**கீ**	**கு**	**கூ**	**கெ**	**கே**	**கை**	**கொ**	**கோ**	**கௌ**
Ka	Kaa	Ki	Kii	Ku	Kuu	Ke	Kee	Kai	Ko	Koo	Kau

ங்
(nG)

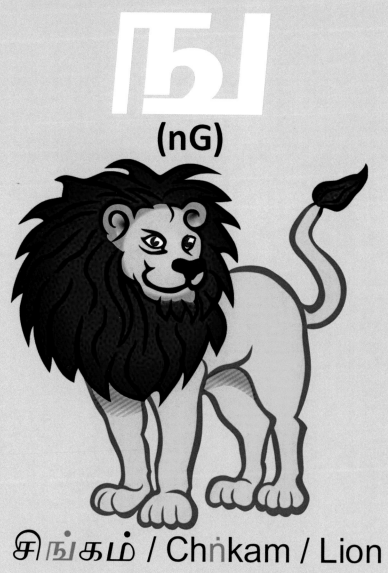

சிங்கம் / Chṅkam / Lion

ங்+அ	ங்+ஆ	ங்+இ	ங்+ஈ	ங்+உ	ங்+ஊ	ங்+எ	ங்+ஏ	ங்+ஐ	ங்+ஒ	ங்+ஓ	ங்+ஒள
ங	ஙா	ஙி	ஙீ	ஙு	ஙூ	ஙெ	ஙே	ஙை	ஙொ	ஙோ	ஙௌ
nGa	nGaa	nGi	nGii	nGu	nGuu	nGe	nGee	nGai	nGo	nGoo	nGau

ச்

(Ch)

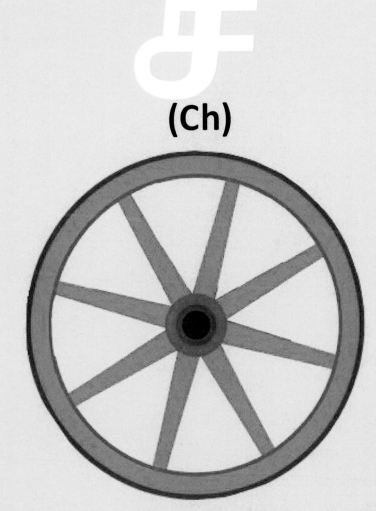

சக்கரம் / Chakkaram / Wheel

ச்+அ	ச்+ஆ	ச்+இ	ச்+ஈ	ச்+உ	ச்+ஊ	ச்+எ	ச்+ஏ	ச்+ஐ	ச்+ஒ	ச்+ஓ	ச்+ஔ
ச	சா	சி	சீ	சு	சூ	செ	சே	சை	சொ	சோ	சௌ
Cha	Chaa	Chi	Chii	Chu	Chuu	Che	Chee	Chai	Cho	Choo	Chau

ஞ்

(nJ)

ஊஞ்சல் / Uuñchal / Swing

ஞ்+அ	ஞ்+ஆ	ஞ்+இ	ஞ்+ஈ	ஞ்+உ	ஞ்+ஊ	ஞ்+எ	ஞ்+ஏ	ஞ்+ஐ	ஞ்+ஒ	ஞ்+ஓ	ஞ்+ஔ
ஞ	ஞா	ஞி	ஞீ	ஞு	ஞூ	ஞெ	ஞே	ஞை	ஞொ	ஞோ	ஞௌ
nJa	nJaa	nJi	nJii	nJu	nJuu	nJe	nJee	nJai	nJo	nJoo	nJau

ட்

(T)

பட்டம் / Pattam / Kite

ட்+அ	ட்+ஆ	ட்+இ	ட்+ஈ	ட்+உ	ட்+ஊ	ட்+எ	ட்+ஏ	ட்+ஐ	ட்+ஒ	ட்+ஓ	ட்+ஔ
ட	**டா**	**டி**	**டீ**	**டு**	**டூ**	**டெ**	**டே**	**டை**	**டொ**	**டோ**	**டௌ**
Ta	Taa	Ti	Tii	Tu	Tuu	Te	Tee	Tai	To	Too	Tau

ண்

(N)

கிண்ணம் / Kinnam / Cup

ண்+அ	ண்+ஆ	ண்+இ	ண்+ஈ	ண்+உ	ண்+ஊ	ண்+எ	ண்+ஏ	ண்+ஐ	ண்+ஒ	ண்+ஓ	ண்+ஔ
ண	ணா	ணி	ணீ	ணு	ணூ	ணெ	ணே	ணை	ணொ	ணோ	ணௌ
Na	Naa	Ni	Nii	Nu	Nuu	Ne	Nee	Nai	No	Noo	Nau

த்

(Th)

தவளை / Thavalai / Frog

த்+அ	த்+ஆ	த்+இ	த்+ஈ	த்+உ	த்+ஊ	த்+எ	த்+ஏ	த்+ஐ	த்+ஒ	த்+ஓ	த்+ஔ
த	**தா**	**தி**	**தீ**	**து**	**தூ**	**தெ**	**தே**	**தை**	**தொ**	**தோ**	**தௌ**
Tha	Thaa	Thi	Thii	Thu	Thuu	The	Thee	Thai	Tho	Thoo	Thau

ந்

(Nh)

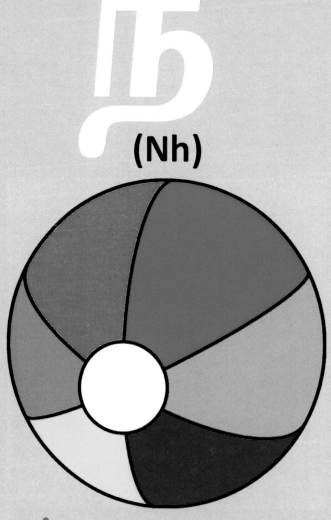

பந்து / Panhthu / Ball

ந்+அ	ந்+ஆ	ந்+இ	ந்+ஈ	ந்+உ	ந்+ஊ	ந்+எ	ந்+ஏ	ந்+ஐ	ந்+ஒ	ந்+ஓ	ந்+ஔ
ந	நா	நி	நீ	நு	நூ	நெ	நே	நை	நொ	நோ	நௌ
Nha	Nhaa	Nhi	Nhii	Nhu	Nhuu	Nhe	Nhee	Nhai	Nho	Nhoo	Nhau

ப்

(P)

பசு / Pachu / Cow

ப்+அ	ப்+ஆ	ப்+இ	ப்+ஈ	ப்+உ	ப்+ஊ	ப்+எ	ப்+ஏ	ப்+ஐ	ப்+ஒ	ப்+ஓ	ப்+ஔ
ப	பா	பி	பீ	பு	பூ	பெ	பே	பை	பொ	போ	பௌ
Pa	Paa	Pi	Pii	Pu	Puu	Pe	Pee	Pai	Po	Poo	Pau

ம்
(M)

மரம் / Maram / Tree

ம்+அ	ம்+ஆ	ம்+இ	ம்+ஈ	ம்+உ	ம்+ஊ	ம்+எ	ம்+ஏ	ம்+ஐ	ம்+ஒ	ம்+ஓ	ம்+ஔ
ம	**மா**	**மி**	**மீ**	**மு**	**மூ**	**மெ**	**மே**	**மை**	**மொ**	**மோ**	**மௌ**
Ma	Maa	Mi	Mii	Mu	Muu	Me	Mee	Mai	Mo	Moo	Mau

ய்

(Y)

யானை / Yaanai / Elephant

ய்+அ	ய்+ஆ	ய்+இ	ய்+ஈ	ய்+உ	ய்+ஊ	ய்+எ	ய்+ஏ	ய்+ஐ	ய்+ஒ	ய்+ஓ	ய்+ஔ
ய	**யா**	**யி**	**யீ**	**யு**	**யூ**	**யெ**	**யே**	**யை**	**யொ**	**யோ**	**யௌ**
Ya	Yaa	Yi	Yii	Yu	Yuu	Ye	Yee	Yai	Yo	Yoo	Yau

ர்

(R)

ரயில் / Rayil / Railway

ர்+அ	ர்+ஆ	ர்+இ	ர்+ஈ	ர்+உ	ர்+ஊ	ர்+எ	ர்+ஏ	ர்+ஐ	ர்+ஒ	ர்+ஓ	ர்+ஔ
ர	**ரா**	**ரி**	**ரீ**	**ரு**	**ரூ**	**ரெ**	**ரே**	**ரை**	**ரொ**	**ரோ**	**ரௌ**
Ra	Raa	Ri	Rii	Ru	Ruu	Re	Ree	Rai	Ro	Roo	Rau

ல்
(L)

சேவல் / Cheval / Rooster

ல்+அ	ல்+ஆ	ல்+இ	ல்+ஈ	ல்+உ	ல்+ஊ	ல்+எ	ல்+ஏ	ல்+ஐ	ல்+ஒ	ல்+ஓ	ல்+ஒள
ல	லா	லி	லீ	லு	லூ	லெ	லே	லை	லொ	லோ	லௌ
La	Laa	Li	Lii	Lu	Luu	Le	Lee	Lai	Lo	Loo	Lau

வ்

(V)

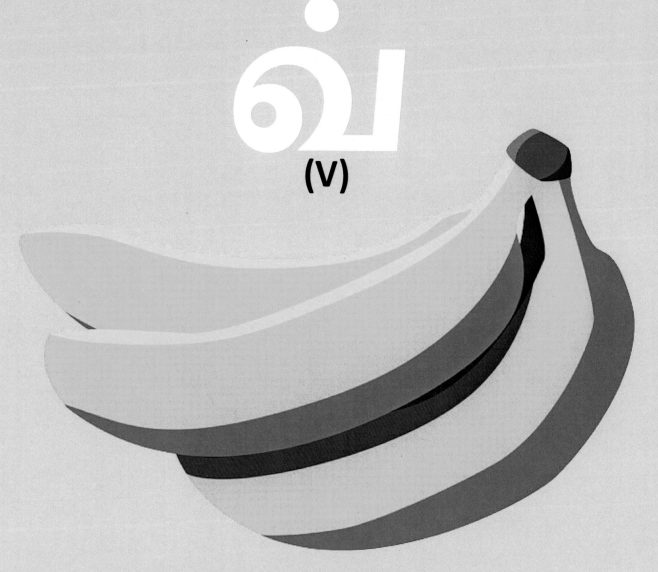

வாழை / Vaalai / Banana

வ்+அ	வ்+ஆ	வ்+இ	வ்+ஈ	வ்+உ	வ்+ஊ	வ்+எ	வ்+ஏ	வ்+ஐ	வ்+ஒ	வ்+ஓ	வ்+ஔ
வ	**வா**	**வி**	**வீ**	**வு**	**வூ**	**வெ**	**வே**	**வை**	**வொ**	**வோ**	**வௌ**
Va	Vaa	Vi	Vii	Vu	Vuu	Ve	Vee	Vai	Vo	Voo	Vau

ழ்

(Ḻ)

பழம் / Paḻam / Fruit

ழ்+அ	ழ்+ஆ	ழ்+இ	ழ்+ஈ	ழ்+உ	ழ்+ஊ	ழ்+எ	ழ்+ஏ	ழ்+ஐ	ழ்+ஒ	ழ்+ஓ	ழ்+ஔ
ழ	ழா	ழி	ழீ	ழு	ழூ	ழெ	ழே	ழை	ழொ	ழோ	ழௌ
Ḻa	Ḻaa	Ḻi	Ḻii	Ḻu	Ḻuu	Ḻe	Ḻee	Ḻai	Ḻo	Ḻoo	Ḻau

ள்
(LI)

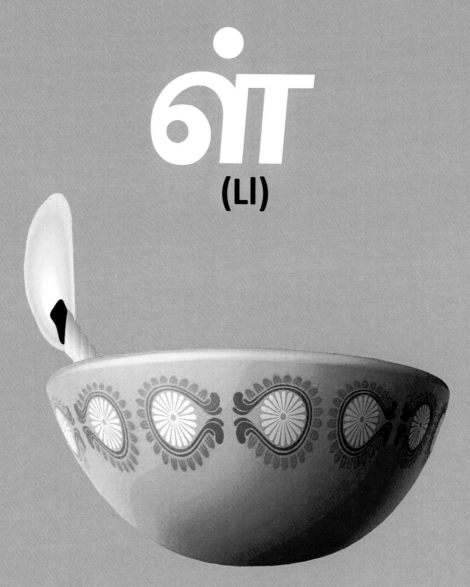

விளக்கு / Villakku / Lamp

ள்+அ	ள்+ஆ	ள்+இ	ள்+ஈ	ள்+உ	ள்+ஊ	ள்+எ	ள்+ஏ	ள்+ஐ	ள்+ஒ	ள்+ஓ	ள்+ஔ
ள	ளா	ளி	ளீ	ளு	ளூ	ளெ	ளே	ளை	ளொ	ளோ	ளௌ
Lla	Llaa	Lli	Llii	Llu	Lluu	Lle	Llee	Llai	Llo	Lloo	Llau

ற்

(Rr)

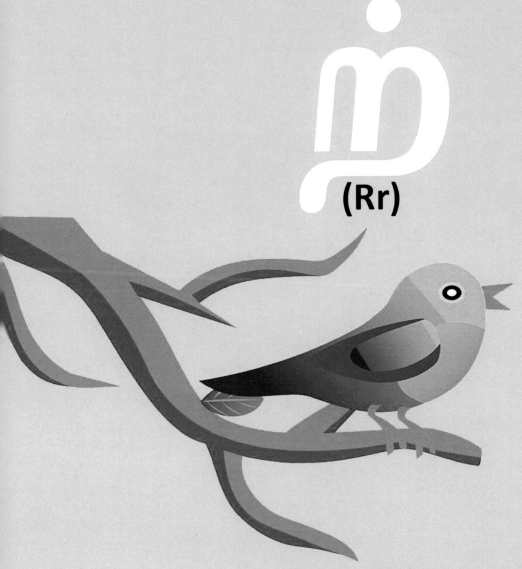

பறவை / Parravai / Bird

ற்+அ	ற்+ஆ	ற்+இ	ற்+ஈ	ற்+உ	ற்+ஊ	ற்+எ	ற்+ஏ	ற்+ஐ	ற்+ஒ	ற்+ஓ	ற்+ஔ
ற	**றா**	**றி**	**றீ**	**று**	**றூ**	**றெ**	**றே**	**றை**	**றொ**	**றோ**	**றௌ**
Rra	Rraa	Rri	Rrii	Rru	Rruu	Rre	Rree	Rrai	Rro	Rroo	Rrau

ன்
(Nn)

மீன் / Miinn / Fish

ன்+அ	ன்+ஆ	ன்+இ	ன்+ஈ	ன்+உ	ன்+ஊ	ன்+எ	ன்+ஏ	ன்+ஐ	ன்+ஒ	ன்+ஓ	ன்+ஒள
ன	னா	னி	னீ	னு	னூ	னெ	னே	னை	னொ	னோ	னௌ
Nna	Nnaa	Nni	Nnii	Nnu	Nnuu	Nne	Nnee	Nnai	Nno	Nnoo	Nnau

ஜ்

(J)

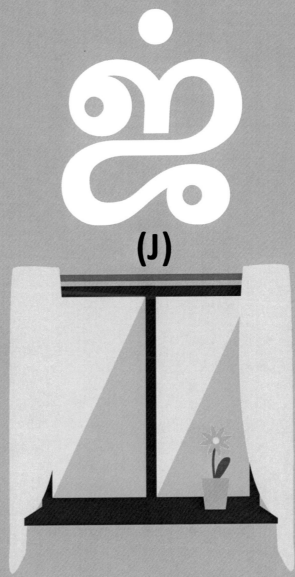

ஜன்னல் / Ja<u>nn</u>al / Window

ஜ்+அ	ஜ்+ஆ	ஜ்+இ	ஜ்+ஈ	ஜ்+உ	ஜ்+ஊ	ஜ்+எ	ஜ்+ஏ	ஜ்+ஐ	ஜ்+ஒ	ஜ்+ஓ	ஜ்+ஒள
ஜ	ஜா	ஜி	ஜீ	ஜு	ஜூ	ஜெ	ஜே	ஜை	ஜொ	ஜோ	ஜௌ
Ja	Jaa	Ji	Jii	Ju	Juu	Je	Jee	Jai	Jo	Joo	Jau

ஶ்

(Śh)

(ஶ்+ரீ=ஶ்ரீ) ஶ்ரீலஶ்ரீ / Srilasri Swami

ஶ்+அ	ஶ்+ஆ	ஶ்+இ	ஶ்+ஈ	ஶ்+உ	ஶ்+ஊ	ஶ்+எ	ஶ்+ஏ	ஶ்+ஐ	ஶ்+ஒ	ஶ்+ஓ	ஶ்+ஔ
ஶ	**ஶா**	**ஶி**	**ஶீ**	**ஶு**	**ஶூ**	**ஶெ**	**ஶே**	**ஶை**	**ஶொ**	**ஶோ**	**ஶௌ**
Śha	Śhaa	Śhi	Śhii	Śhu	Śhuu	Śhe	Śhee	Śhai	Śho	Śhoo	Śhau

ஷ்

(Ṣh)

வேஷ்டி / Veeṣhti / Dhoti-Kurta

ஷ்+அ	ஷ்+ஆ	ஷ்+இ	ஷ்+ஈ	ஷ்+உ	ஷ்+ஊ	ஷ்+எ	ஷ்+ஏ	ஷ்+ஐ	ஷ்+ஒ	ஷ்+ஓ	ஷ்+ஔ
ஷ	**ஷா**	**ஷி**	**ஷீ**	**ஷு**	**ஷூ**	**ஷெ**	**ஷே**	**ஷை**	**ஷொ**	**ஷோ**	**ஷௌ**
Ṣha	Ṣhaa	Ṣhi	Ṣhii	Ṣhu	Ṣhuu	Ṣhe	Ṣhee	Ṣhai	Ṣho	Ṣhoo	Ṣhau

ஸ்
(S)

SCHOOL BUS
STOP

பஸ் / Pas / Bus

ஸ்+அ	ஸ்+ஆ	ஸ்+இ	ஸ்+ஈ	ஸ்+உ	ஸ்+ஊ	ஸ்+எ	ஸ்+ஏ	ஸ்+ஐ	ஸ்+ஒ	ஸ்+ஓ	ஸ்+ஒள
ஸ	ஸா	ஸி	ஸீ	ஸு	ஸூ	ஸெ	ஸே	ஸை	ஸொ	ஸோ	ஸௌ
Sa	Saa	Si	Sii	Su	Suu	Se	See	Sai	So	Soo	Sau

ஹ்

(H)

தாஜ் மஹால் / Taj Mahaal / Taj Mahal

ஹ்+அ	ஹ்+ஆ	ஹ்+இ	ஹ்+ஈ	ஹ்+உ	ஹ்+ஊ	ஹ்+எ	ஹ்+ஏ	ஹ்+ஐ	ஹ்+ஒ	ஹ்+ஓ	ஹ்+ஔ
ஹ	ஹா	ஹி	ஹீ	ஹு	ஹூ	ஹெ	ஹே	ஹை	ஹொ	ஹோ	ஹௌ
Ha	Haa	Hi	Hii	Hu	Huu	He	Hee	Hai	Ho	Hoo	Hau

க்ஷ

(Kṣh)

திராக்ஷ / Tiraanakṣa / Grapes

க்ஷ்+அ	க்ஷ்+ஆ	க்ஷ்+இ	க்ஷ்+ஈ	க்ஷ்+உ	க்ஷ்+ஊ	க்ஷ்+எ	க்ஷ்+ஏ	க்ஷ்+ஐ	க்ஷ்+ஒ	க்ஷ்+ஓ	க்ஷ்+ஔ
க்ஷ	**க்ஷா**	**க்ஷி**	**க்ஷீ**	**க்ஷு**	**க்ஷூ**	**க்ஷெ**	**க்ஷே**	**க்ஷை**	**க்ஷொ**	**க்ஷோ**	**க்ஷௌ**
Kṣha	Kṣhaa	Kṣhi	Kṣhii	Kṣhu	Kṣhuu	Kṣhe	Kṣhee	Kṣhai	Kṣho	Kṣhoo	Kṣhau